Les enfants et la science

Les cycles de vie

Les grenouilles

Aaron Carr

Weigl

Publié par Weigl Educational Publishers Limited
6325 10th Street SE
Calgary, Alberta T2H 2Z9
Site web : www.weigl.ca

ISBN 978-1-77071-956-9 (relié)
ISBN 978-1-77071-957-6 (livre numérique multiutilisateur)

Imprimé à North Mankato, Minnesota, aux États-Unis d'Amérique
1 2 3 4 5 6 7 8 9 0 17 16 15 14 13

072013
WEP120613

Rédacteur principal : Aaron Carr
Directeur artistique : Terry Paulhus
Traduction : Tanjah Karvonen

Weigl reconnaît que les images Getty sont le principal fournisseur d'images pour ce titre.

Tous les efforts raisonnablement possibles ont été mis en œuvre pour déterminer la propriété du matériel protégé par les droits d'auteur et obtenir l'autorisation de le reproduire. N'hésitez pas à faire part à l'équipe de rédaction de toute erreur ou omission, ce qui permettra de corriger les futures éditions.

Dans notre travail d'édition nous recevons le soutien financier du gouvernement du Canada par l'entremise du Fonds du livre du Canada.

Les enfants et la science
Les cycles de vie

Les grenouilles

Table des matières

4

Tous les animaux commencent leur vie, grandissent et se reproduisent pour créer d'autres animaux. Ceci est un cycle de vie.

Les grenouilles sont des amphibiens. Les amphibiens sont des animaux à sang froid. Ceci signifie qu'ils ont besoin du Soleil pour rester au chaud.

Les grenouilles sont nées dans l'eau. Elles éclosent d'œufs quand elles naissent.

Des rainettes aux yeux rouges s'agrippent aux plantes. Les bébés grenouilles tombent dans l'eau quand elles éclosent.

9

Les bébés grenouilles s'appellent des têtards. Ils ressemblent à de petits poissons. Les têtards respirent sous l'eau.

Après environ huit semaines, les têtards deviennent des grenouillettes. Les grenouillettes développent des jambes et commencent à perdre leur queue.

Une grenouillette ressemble à une petite grenouille avec une queue.

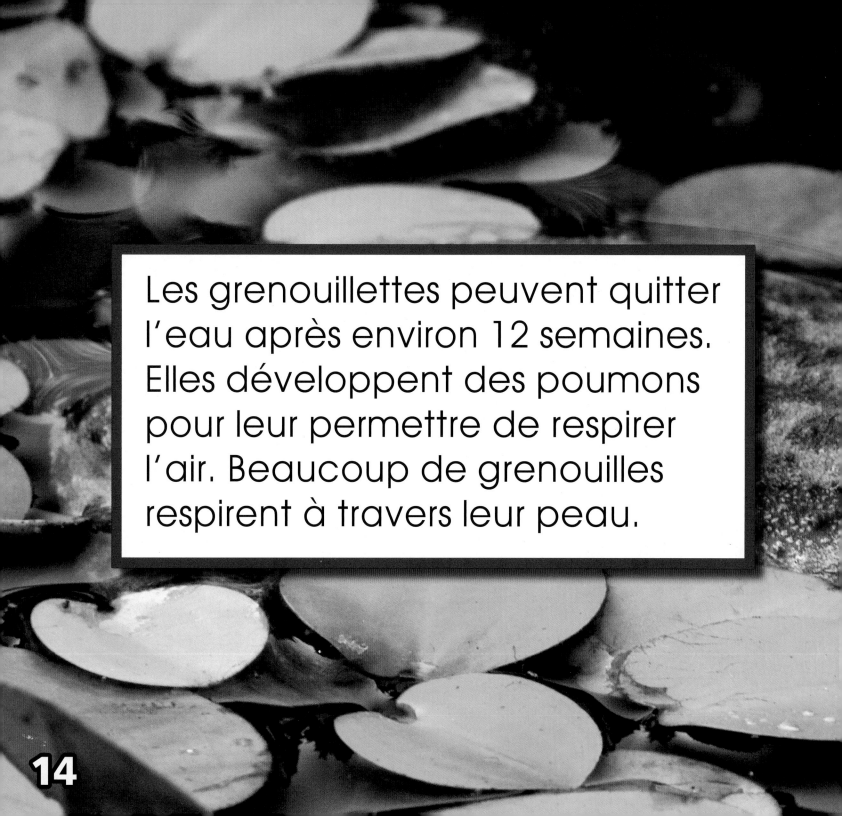

Les grenouillettes peuvent quitter l'eau après environ 12 semaines. Elles développent des poumons pour leur permettre de respirer l'air. Beaucoup de grenouilles respirent à travers leur peau.

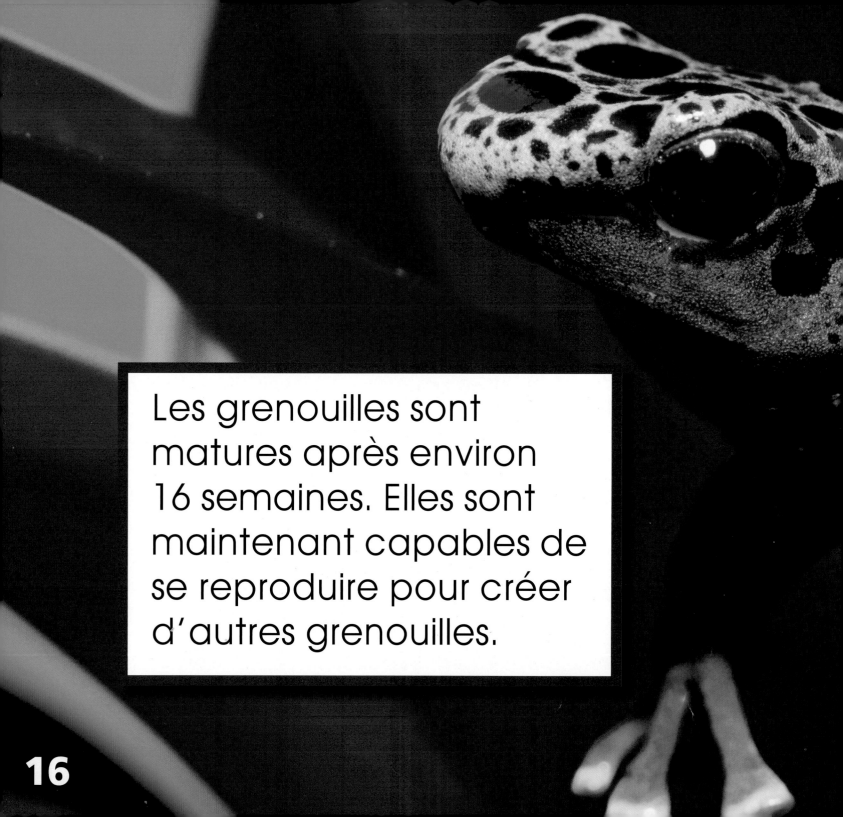

Les grenouilles sont matures après environ 16 semaines. Elles sont maintenant capables de se reproduire pour créer d'autres grenouilles.

18

Les grenouilles pondent leurs œufs dans de grosses piles appelées des frais de grenouilles. Un frai de grenouilles comprend beaucoup d'œufs recouverts d'une gelée. Certaines grenouilles peuvent pondre jusqu'à 20 000 œufs à la fois.

Il existe environ 5 400 sortes de grenouilles. Chaque sorte de grenouille peut avoir une couleur ou une taille différente. La couleur et la taille d'une grenouille viennent de ses parents.

Quiz : Les cycles de vie

Testez vos connaissances des cycles de vie des grenouilles en faisant ce quiz. Regardez ces images. Quel stage du cycle de vie voyez-vous dans chaque image ?

24